entro

Un Paso a la Libertad

CÉSAR & CLAUDIA CASTELLANOS

pre-encuentro

G12 editores

César Castellanos D © 2003

Publicado por G12 Editores

ventas@g12bookstore.com

sales@g12bookstore.com

www.g12bookstore.com

ISBN 1-932285-32-6

Impreso en Colombia

Printed in Colombia

CONTENIDO

Tener un encuentro con Jesús es la experiencia más gloriosa que pueda alcanzar una persona: Las vidas son transformadas y los corazones renovados, el espíritu se eleva, desaparece la tristeza, se esfuma el dolor y se quebranta la depresión porque la fortaleza del Espíritu Santo llega a todo nuestro ser.

Personalmente, cuando lo conocí, por ser una persona tan extraordinaria, cambió el rumbo de mi vida, dándole un giro de ciento ochenta grados. Desde entonces, comencé a ver las cosas con otros ojos, con otra perspectiva. Él, le dio tal sentido a mis días y me convencí de que hasta ese momento había estado perdiendo el tiempo, y ahora quería redimir cada minuto de mi existencia.

El material que usted en este momento tiene en sus manos, será de gran ayuda para que dé el paso y decida tener un encuentro personal con Jesús. La noche en que conocí a Jesús, fue la más gloriosa que haya tenido en toda mi vida. Los días subsiguientes a esa experiencia, fueron muy importantes, porque noté que un gran cambio se había operado en mi vida: Por fin hallé sentido a la vida, y se despertó en mí un gran deseo de hacer algo para Dios. Todo el cambio que experimenté, vino como respuesta a una sencilla oración que había hecho, pero que hice de una manera simple y sincera, donde le dije a Jesús que si en verdad él existía y era el mismo Dios de la Biblia, que se revelara a mi vida en esa misma hora. La respuesta no tardó y me encontré ante la presencia del autor de la vida. Diferentes emociones fueron manifestadas en ese instante: lloraba, reía, y adoraba a Dios con toda mi alma. Había conocido a Jesús de una manera personal, y esto transformó mi vida, también. Por la oración que ha hecho, Él se revelará a su vida.

César Castellanos D.

Cuatro preciosas oportunidades

¿Ha dejado pasar una gran posibilidad que luego tuvo que lamentar? Sabemos que esta vida está llena de oportunidades: una entrevista, un negocio, encontrarse con la persona que llegará a ser su cónyuge, etc.- Muchas de ellas se presentan tan solamente una vez. Pero la mejor oportunidad que alguien pueda tener es encontrarse con Aquél que quiere darle vida, y vida en abundancia.

1.Oportunidad de un encuentro.

"Y me buscaréis y me hallaréis, porque me buscaréis de todo vuestro corazón" (Jeremías 29:13).

Sin importar cuán lejos nos hayamos apartado de Dios, debemos hacer un alto en el camino y tomar la decisión de encontrarnos nuevamente con nuestro Padre Dios. Al igual que el hijo pródigo, quien tomó la decisión de regresar a la casa de su padre en busca de una segunda oportunidad, usted está haciendo lo mismo, al esforzarse por tener un encuentro con su Padre Dios.

En su disertación con los atenienses, el apóstol Pablo expresa que a cualquiera que anhele tener un encuentro con Dios, no le será difícil, porque aún palpando podemos hallarle, Él siempre está cerca de nosotros, tan cerca como el aire que respiramos. "Para que busquen a Dios, si en alguna manera, palpando, puedan hallarle, aunque ciertamente no está lejos de cada uno de nosotros. Porque en él vivimos, y nos movemos, y somos; como algunos de vuestros propios profetas también han dicho: Porque linaje suyo somos" (Hechos 17:27-28).

2. Oportunidad de reconciliación.

"Me levantaré e iré a mi padre y le diré: Padre, he pecado contra el cielo y contra ti. Ya no soy digno de ser llamado tu hijo; hazme como a uno de tus jornaleros". (Lucas 15:18-19).

El joven de la parábola decide no quedarse postrado en su condición y se arriesga por alcanzar otra oportunidad. Reconoce sus faltas y se lanza en la búsqueda de su padre para pedirle perdón. Sólo podemos obtener una genuina reconciliación con Dios, cuando reconocemos nuestra condición pecaminosa, cuando nos arrepentimos renunciando a todo lo malo que hemos hecho en el pasado suplicando el perdón de parte de Dios.
Al hacer esto, la mano de Dios se extiende ofreciéndonos su misericordia. "Si confesamos nuestros pecados, él es fiel y justo para perdonar nuestros pecados, y limpiarnos de toda maldad" (1 Juan 1:9).

3. Oportunidad de restauración.

"Mas Dios muestra su amor para con nosotros en que siendo aun pecadores, Cristo murió por nosotros" (Romanos 5:8).

Todos nuestros pecados y errores merecían recibir un castigo, mas Dios aceptó que su Hijo Jesucristo tomara nuestro lugar y pagara por los actos cometidos por nosotros. En la parábola del hijo pródigo, el padre decide restaurar la dignidad que su hijo había perdido y hacer una gran fiesta de celebración, mandando sacrificar el becerro gordo, en honor a su hijo que había regresado, porque aquél a quien tenía por muerto había vuelto a la vida; y el que se había perdido, fue hallado (Lucas 15:23-24).

Ese sacrificio, es un prototipo del sacrificio de Cristo en la Cruz del Calvario, que es el único medio establecido por Dios para reconciliarnos con Él. "En quien tenemos redención en su sangre, el perdón de pecados".

4. Oportunidad de provisión.

"Mas a todos los que le recibieron, a los que creen en su nombre, les dio la potestad de ser hechos hijos de Dios" (Juan 1:12).

Dios nos trata como a hijos y nos vuelve a confiar todos los privilegios, que por causa del pecado habíamos perdido. Él decide ponernos el mejor vestido, colocarnos el mejor calzado y entregarnos el anillo representativo de la autoridad que ahora gozamos como sus hijos. Por causa de nuestra fe en Jesús, Dios nos considera sus hijos, haciéndonos partícipes de las mismas riquezas en gloria que posee Jesús; y esto que Él hizo por nosotros, es lo que debemos hacer también por aquellos que nos rodean; pues nadie puede dar de lo que no tiene. "Porque por gracia sois salvos por medio de la fe; y esto no de vosotros, pues es don de Dios; no por obras, para que nadie se gloríe" (Efesios 2:8-9).

Quiero animar a cada lector a esforzarse por tener un encuentro personal con Jesucristo. Cuando Jacob tuvo su encuentro cara a cara con el ángel del Señor, él pudo decir: "Vi a Dios cara a cara, y fue librada mi alma" (Génesis 32:30 b).

El patriarca Job, quien se justificaba al no encontrar una explicación del por qué de su situación, cuando tuvo su encuentro cara a cara con Dios, dijo: "De oídas te había oído; Mas ahora mis ojos te ven. Por tanto me aborrezco, y me arrepiento en polvo y ceniza" (Job 42:5 - 6).

El profeta Isaías quedó asombrado al ver la gloria del Señor y exclamó: "¡Ay de mí! que soy muerto; porque siendo hombre inmundo de labios, y habitando en medio de pueblo que tiene labios inmundos, han visto mis ojos al Rey, Jehová de los ejércitos" (Isaías 6:5).

El rey David, después de ser confrontado por el profeta Natán, se humilló confesando su pecado, e implorando ser purificado con sangre, experimentó un genuino quebrantamiento, diciendo: "Los sacrificios de Dios son el espíritu quebrantado; Al corazón contrito y humillado no despreciarás tú, oh Dios" (Salmos 51:17).

CUESTIONARIO

1. ¿Qué significa tener un verdadero encuentro con Dios? (Apocalipsis 3:20). _____
_____.

2. ¿Cuáles son los caminos que el hombre ha escogido y que lo han apartado de Dios? _____
_____.

3. ¿Qué regalo recibimos de Dios al tener un encuentro personal con él? (Efesios 2:8). _____
_____.

4. Haga un análisis de las siguientes citas:

Romanos 5:8 _____.

Romanos 1: 23-24 _____.

5. Escriba las cuatro preciosas oportunidades con sus respectivos versículos.

     a._____.
     b._____.
     c._____.
     d._____.

CONCLUSIONES

Tener un verdadero encuentro con Dios es saber que:

- *Dios preparó la redención para el hombre, pues fue el hombre quien equivocó el camino alejándose de Él.*

- *En la Cruz es donde usted podrá experimentar el sacrificio de Jesús y la libertad para su vida.*

- *Vivir en genuino arrepentimiento es la puerta de entrada a la Salvación.*

- *Se puede experimentar una sanidad interior de todas las heridas ocasionadas en el pasado.*

REFLEXIÓN Y ACCIÓN

El Señor escogió este momento, como la oportunidad más valiosa de su vida. No espere más. Decídase ahora mismo a recibir a Jesús y experimente el regalo más precioso de Dios para su vida.

PRINCIPIOS CLAVES PARA RECORDAR

- *El Encuentro es una oportunidad que Dios le da a su vida.*
- *La Reconciliación es la oportunidad de volver a la casa del Padre.*
- *La Restauración, aprópiese de ella. Es la fiesta y gozo por su regreso a Dios.*
- *La provisión. Dios quiere bendecirle y ocuparse de su provisión y la de su casa.*

APLICANDO ESTOS PRINCIPIOS

Complete:

A partir de hoy, me determino a _____

_____

_____

_____

_____.

Los Beneficios de la Cruz

EL INCOMPARABLE CRISTO

El hombre que ha impactado el mundo entero a través de los siglos, indudablemente, se llama Jesucristo; aunque han habido algunos a quienes se los ha denominado grandes, ya sea por sus conquistas, hazañas, sus dotes políticos, sus vidas de ascetismo religioso y hasta por lograr imponer entre la gente sus propias filosofías, Jesús no se puede comparar con ninguno de ellos, pues Jesús es el mismo Dios que decidió vivir en un cuerpo humano.

"Porque ya conocéis la gracia de nuestro Señor Jesucristo, que por amor a vosotros, siendo rico, se hizo pobre, para con su pobreza enriquecer a muchos"   (2 Corintios 8:9).

"Como nosotros, los hijos de Dios, somos seres de carne y hueso, Cristo nació como ser humano de carne y hueso también; porque sólo siendo un ser humano podía morir y destruir al que tenía el imperio de la muerte: el diablo. Sólo así podía librar a los que vivían siempre en esclavitud por temor a la muerte" (Hebreos 2:14-15, Biblia al Día).

Jesús es Dios

Él siempre ha existido; no tuvo comienzo de días y no tendrá fin de días. Él es desde la eternidad y hasta la eternidad.

Por esta razón tuvo que, en lenguaje humano, hacerse como nosotros para enseñarnos el camino de salvación. Dios tuvo que hacerse hombre para salvarnos.

Jesucristo nos dio, en cuanto a esto, un gran ejemplo, porque "aunque era Dios, no demandó ni se aferró a los derechos que como Dios tenía, sino que despojándose de su gran poder y gloria, tomó forma de esclavo al nacer como hombre" (Filipenses 2:5-7 Biblia al Día).

La humildad de Jesús

La actitud de Jesús es completamente opuesta a la del príncipe de este mundo, quien decía en su corazón: "Subiré al cielo; en lo alto, junto a las estrellas de Dios, levantaré mi trono, y en el monte del testimonio me sentaré, a los lados del norte: sobre las alturas de las nubes subiré, y seré semejante al Altísimo" (Isaías 14:13-14).

Mientras Jesús decidió descender del cielo a la tierra, Satanás pretendió ascender de la tierra al cielo. El Señor dijo: "El que se ensalza será humillado, el que se humilla será ensalzado".

Jesús se humilló, aceptando morir como mueren los criminales, en la Cruz. Por eso, Dios lo exaltó hasta lo sumo y le dio un nombre que está por encima de cualquier nombre (Filipenses 2:8-9). Mientras que a Satanás, el Señor lo reprendió diciéndole: "Mas tú derribado eres hasta el Seol, a los lados del abismo" (Isaías 14:15). "Espanto serás, y para siempre dejarás de ser" (Ezequiel 28:19b).

El verbo hecho carne

San Pablo dijo: "E indiscutiblemente grande es el misterio de la piedad, Dios fue manifestado en carne" (1 Timoteo 3:16a).

El apóstol no trata de presentar un tema de controversia, sino una verdad indiscutible: "Dios se manifestó en carne". El mismo Señor expresó: "Y el verbo se hizo carne y habitó entre nosotros" (Juan 1:14a).

Y si Jesús es el mismo Dios, entonces vale la pena conocerlo y darlo a conocer porque, como dicen las Escrituras: "El que me halle, hallará la vida, y alcanzará el favor de Jehová. Mas el que peca contra mí, defrauda su alma; todos los que me aborrecen aman la muerte" (Proverbios 8:35-36).

Cristo es la imagen misma del Dios invisible, y existe desde antes que Dios comenzara la creación. Cristo mismo es el creador de cuanto existe en los cielos y en la tierra, de lo visible y lo invisible. El mundo espiritual, con sus correspondientes reyes y reinos, gobernantes y autoridades, fue creado por Él y para Él. Cristo existió antes que las cosas que existen cobraran vida y es por Su poder que subsisten (Colosenses 1:15-17 Biblia al Día).

El poder de la redención

Toda la obra redentora fue efectuada en la Cruz del Calvario, y en cada uno de los aspectos de la crucifixión encontramos una gran enseñanza.

La Cruz - Maldición cancelada

En la Cruz, fue donde Dios quitó nuestra maldición para darnos su bendición. Todo lo malo que nosotros éramos, quedó en Jesús, en su crucifixión. Todo lo bueno que Jesús era, pasó a nosotros a través de la fe en Él.
Gálatas 2:20 dice: "Con Cristo estoy juntamente crucificado, y ya no vivo yo, mas vive Cristo en mí; y lo que ahora vivo en la carne, lo vivo en la fe del Hijo de Dios, el cual me amó y se entregó a sí mismo por mí.

La corona de espinas - Liberación de la ruina

Cuando Adán y Eva pecaron y fueron expulsados del paraíso, Dios les dijo: "Maldita será la tierra por tu causa, espinos y abrojos te producirán". Los espinos y los abrojos representan ruina. Jesús aceptó llevar sobre sus sienes esa terrible opresión que tanto había flagelado a la humanidad.

El látigo que flageló su espalda – Nuestra sanidad.

"Toda enfermedad, toda dolencia, sin importar su ramificación, sin importar su tamaño ni gravedad, toda quedó cancelada en la espalda de Jesús". El profeta Isaías, refiriéndose a la crucifixión de Jesús, dijo: "Y por cuya herida fuisteis vosotros curados" (Isaías 53:5)

A Jesús lo despojaron de sus ropas, lo acostaron encima del madero, abrieron sus brazos y en cada una de sus manos incrustaron un grande y filoso clavo.
Sus dos pies fueron unidos y también traspasados con un clavo, el tercero.

Cada clavo tiene un significado:

- Clavo 1: Libre de culpabilidad. *Significa que toda la culpabilidad que había sobre su vida y que lo llevaba a una condenación eterna, todo eso fue cancelado en la Cruz del Calvario. Ya no hay necesidad de que se sienta culpable, Jesús llevó la maldición en ese clavo.*

- Clavo 2: Argumentos cancelados. *Se refiere a que todos los argumentos que Satanás tenía contra nosotros, fueron cancelados. Ahora, ¿qué significa un argumento? Es un derecho legal que usted le entrega al adversario. ¿Cómo se forman los argumentos? Por maldiciones heredadas de la familia, o palabras que dijeron los padres y que marcaron la vida de sus hijos. La buena noticia es que Jesús llevó toda esa maldición en la Cruz; la sangre de Cristo anuló el acta de decretos que había contra nosotros. A partir de hoy, usted puede ser libre de la culpabilidad. "Anulando el acta de decretos que había contra nosotros, que nos era contraria, quitándola de en medio y clavándola en la cruz" [Colosenses 2:14].*

- Clavo 3: Victoria sobre la opresión. *Este clavo fue incrustado debajo del tobillo de Jesús, en la parte del talón. Científicos descubrieron que éste era el lugar donde introducían un clavo largo a los crucificados, el cual atravesaba sus dos pies. Para poder respirar, Jesús se apoyaba sobre este clavo, ejercía presión sobre él, se empinaba e inspiraba, porque su pecho estaba comprimido. El dolor de este movimiento traspasaba el tendón de su pierna, haciéndose cada vez más agudo e intenso. Tomar aire para Él era una agonía. Desde entonces, nosotros no necesitamos vivir más en opresión porque Jesús nos dio una victoria total.*

La lanza – Sanidad Interior.

Después que Jesús murió, uno de los soldados romanos enterró una lanza en su costado derecho, del cual salió agua y sangre. Los expertos dicen que esto sucede cuando el corazón de la persona ha explotado. Fue tanta la angustia que Cristo sufrió en la Cruz del Calvario, que su sensible corazón explotó. Tal vez usted diga: "Tengo el corazón herido, tengo el alma hecha pedazos", mas el Señor hoy le dice: "Hijo, hija, mi corazón explotó para que el tuyo fuese sano y para que tus emociones fueran restauradas.

Todo el castigo que como pecadores merecíamos, recayó sobre aquel hombre llamado Jesús, quien no había cometido ningún pecado. Y todo el bien que Jesús debía recibir, vino sobre nosotros, sólo por creer en Él. Dios, cuando nos mira, lo hace a través de Jesús, y cuando anhelamos comunicamos con el Padre, también debemos hacerlo por medio de Jesús.

REFLEXIÓN Y ACCIÓN

PRINCIPIOS CLAVES PARA RECORDAR

- *Se experimenta vida eterna en la tierra cuando se acepta a Jesús como Salvador.*
- *Por la llaga de Jesús fuimos curados (Isaías 53:5 b)*
- *Aquel que cree que Jesús lo redimió, es libre de toda opresión (Colosenses 2:14-15).*
- *La maldición económica fue cancelada por Jesús al llevar la corona de espinas (2 Corintios 8:9).*
- *La fe en Jesús restaura familias (Malaquías 4:6).*
- *Sólo Jesús puede librarnos de la maldición (Gálatas 3:13).*
- *Gracias al amor del Padre y a través de la sangre de Cristo, fuimos hechos libres (1 Pedro 1:2).*
- *Jesús se hizo hombre y por obediencia aceptó la muerte en la Cruz, lo cual era una gran humillación.*

APLICANDO ESTOS PRINCIPIOS

A partir de hoy determínese a:

- *Entregar a Jesús sus debilidades para que Él las lleve. Acepte toda Su fortaleza dentro suyo.*
- *Entregar sus pecados por medio del arrepentimiento, que es la puerta de entrada a la bendición. Acepte Su salvación.*
- *Entregar toda enfermedad. Acepte Su salud.*
- *Entregar toda escasez. Acepte Su provisión.*
- *Entregar la angustia. Acepte Su infalible paz.*
- *Rendir toda su voluntad. Acepte la guía de su Espíritu Santo.*
- *Entregar el conocimiento humano. Acepte Su divina sabiduría.*

Al hacerlo, estamos confiando en la gracia del Señor Jesucristo de una manera plena, y podemos decir junto al apóstol Pablo:

"Todo lo puedo en Cristo que me fortalece" (Filipenses 4:13)

El Nuevo Nacimiento

El hombre fue creado con voluntad para escoger

A Dios, el creador del universo, le plació en su infinita sabiduría que todo estuviese gobernado por leyes, tanto en el reino espiritual como en el reino natural. Por ello, al dar forma y vida al hombre, condicionó su libertad a la exclusiva obediencia de su Palabra. Aunque Dios fue muy generoso con la primera pareja, dándoles todas las cosas en sobre abundancia, estableció para ellos un solo límite, el cual no deberían traspasar. Les dijo: "Mas del árbol de la ciencia del bien y del mal no comerás, porque el día que de él comieres ciertamente morirás" (Génesis 2:17). El Señor no deseaba que el hombre le obedeciera mecánicamente como robot; Él anhelaba que lo hiciera por propia voluntad, utilizando la plena libertad de escoger que se le había concedido.

El nuevo nacimiento debe ser para todos

Nicodemo era un hombre muy respetado en su época, dedicado a enseñar la ley tanto a líderes religiosos como al pueblo en general. Pero además, era un gran moralista; ayunaba dos veces por semana, oraba dos horas por día y celaba grandemente la doctrina.

Sin embargo, una noche buscó a Jesús diciéndole: "Rabí, sabemos que has venido de Dios como maestro; porque nadie puede hacer estas señales que tú haces si no está Dios con él (Juan 3:2)", a lo cual Jesús le respondió: "De cierto, de cierto te digo que el que no naciere de nuevo, no puede ver el reino de Dios" (Juan 3: 3).

Que el Señor le hubiera dicho esto a Zaqueo, que era cobrador de impuestos, o a María Magdalena, quien había cometido adulterio, o tal vez al ladrón que colgaba en la otra cruz junto a Él, es muy probable que nuestra capacidad humana y finita pudiera entenderlo. Pero notemos que Jesús dijo ésto a una autoridad espiritual entre los judíos.

El nuevo nacimiento nos permite ver el reino de Dios

De la misma manera que tuvimos un nacimiento físico para llegar a este mundo, también debemos experimentar un nacimiento espiritual para entrar al mundo celestial. El nuevo nacimiento sólo se produce cuando aceptamos a Cristo en el corazón como único Señor y Salvador.

Este nuevo nacimiento es producido directamente por el Espíritu Santo, quien a través de la fe, engendra el espíritu de vida del nuevo hombre. Somos seres espirituales que vivimos en cuerpos físicos, y a través de los sentidos nos volvemos conscientes de la realidad de esta tierra. El nacimiento físico es tan sólo un paso que debe conducirnos al siguiente, es decir, al nacimiento de nuestra naturaleza espiritual. Sólo cuando experimentamos esto, adquirimos el derecho de ser hechos y llamados hijos de Dios. En ese acto, nuestros ojos espirituales se abren y podemos discernir con claridad el reino de los cielos.

Dios desea nuestro nuevo nacimiento

El apóstol Santiago escribe: "Él, de su voluntad, nos hizo nacer por la palabra de verdad, para que seamos primicias de sus criaturas" (Santiago 1:18). Dios dejó la puerta abierta para que todo aquel que quiera, pueda nacer a la vida espiritual. Jesús dijo: "Si el grano de trigo no cae en tierra y muere, queda solo; pero si muere, da mucho fruto" (Juan 12:24).

El nuevo nacimiento implica un desprendimiento de esa naturaleza afectada por el pecado, para que el espíritu pueda fructificar en el reino espiritual.

Usted puede tener un corazón nuevo

A través del profeta Ezequiel, el Señor dijo: "Os daré corazón nuevo, y pondré espíritu nuevo dentro de vosotros; y quitaré de vuestra carne el corazón de piedra, y os daré un corazón de carne. Y pondré dentro de vosotros mi Espíritu, y haré que andéis en mis estatutos y guardéis mis preceptos y los pongáis por obra" (Ezequiel 36:26-27).

Nadie en este mundo podrá jamás tener dos corazones al mismo tiempo; nadie puede volcarse un poco a Dios y otro poco al pecado. Quien está del lado de Dios, aborrece el pecado, y quien gusta pecar, no sigue a Dios. La promesa de Dios es: "corazón nuevo, espíritu nuevo". Cuando esto sucede, Dios remueve de nosotros el corazón duro y también el espíritu rebelde. El espíritu que recibimos es el Espíritu mismo de Dios.
Pablo lo comprendió cuando dijo: "¿No sabéis que sois templo del Espíritu Santo, y que el Espíritu de Dios mora dentro de vosotros?". El Espíritu de Dios es el único que nos ayuda a entender las Escrituras, el que nos da las fuerzas para obedecerla, y el que prepara el ambiente para que sus promesas se cumplan.

Nacerá a una vida de santidad

Para algunos es un tanto difícil comprender plenamente cómo opera el nuevo nacimiento. Eso fue lo que le sucedió a la bienaventurada virgen María cuando un ángel le dijo que iba a concebir al Salvador del mundo. Ella preguntó: "¿Y cómo será esto? pues no conozco varón". La respuesta que le dio el ángel fue: "El Espíritu Santo vendrá sobre ti, y el poder del Altísimo te cubrirá con su sombra, por lo cual también el Santo ser que nacerá, será llamado Hijo de Dios" (Lucas 1:35).
El Espíritu Santo se hace parte de nosotros cuando nosotros decidimos hacernos parte de Dios. Él es todo un caballero y jamás tratará de forzar las cosas; no entrará a la vida de nadie sin ser invitado.

Solamente se moverá a través de nuestra fe en la Palabra de Dios. Por ello, por el solo hecho de creer en las Escrituras y anhelar su cumplimiento en nosotros, el Espíritu Santo nos cubrirá con su sombra y engendrará un santo ser, que nacerá en nuestras vidas. Es decir, nos dará el derecho legal de ser también hijos de Dios.

Cada creyente debe obtener su propia experiencia.

El Señor le dijo a Nicodemo: "El viento sopla donde quiere, y oyes su sonido, mas ni sabes de dónde viene ni a dónde va, así es todo aquel que es nacido del Espíritu" (Juan 3:8).
Algunas veces, el viento es fuerte, huracanado y arrasador de todo; pero otras, es suave y apacible. Lo mismo sucede con el Espíritu Santo: Algunas veces, las conversiones van acompañadas por fuertes emociones, mientras que en otras la persona ni siquiera alcanza a percatarse cuándo sucedió el nuevo nacimiento.
El nuevo nacimiento significa que se nos entrega una nueva vida en el momento en que aceptamos a Cristo en nuestro corazón como Señor y Salvador personal. Jesús dijo: "Yo he venido para que tengan vida, y para que la tengan en abundancia" (Juan 10:10 b).

El Espíritu Santo certifica la formación del nuevo hombre

El Espíritu Santo siembra en nosotros la vida de Cristo cuando nacemos de nuevo: esa semilla germina y se desarrolla, manifestándose progresivamente en nosotros. El nuevo nacimiento lleva la certificación del Espíritu Santo, por lo cual no puede ser invalidado ni revocado (2 Corintios 1:22). Dios mismo sella con su Espíritu a cada nuevo creyente, garantizándole vida eterna y herencia celestial, las que se completarán cuando vayamos al Padre.

Por eso, debemos evitar de contristar al Espíritu Santo. "Y no contristéis al Espíritu Santo de Dios, con el cual fuisteis sellados para el día de la redención" (Efesios 4:30).

REFLECCIÓN Y ACCIÓN

PRINCIPIOS CLAVES PARA RECORDAR

- *Dios creó al hombre con la oportunidad de escoger. (Génesis 2:17).*
- *El nuevo nacimiento es para todos (Juan 3:2-3).*
- *El nuevo nacimiento nos permite ver el Reino de Dios.*
- *Dios desea nuestro nacimiento. (Santiago 1:18; Juan 12:24).*

APLICANDO ESTOS PRINCIPIOS

A partir de hoy determínese a:

- *Rendirse al Señor para que Él le dé un nuevo corazón (Ezequiel 36:26-27).*
- *Que el nuevo nacimiento traiga santidad a su vida. (Lucas 1:35).*
- *Que el nuevo nacimiento lo conduzca a la certificación y seguridad que fue sellado por el Espíritu Santo. (2 Corintios 1:22).*

LECCIÓN

Beneficios del Nuevo Nacimiento

*"Cuando yo era niño, hablaba como niño, juzgaba como niño; mas cuando ya fui hombre, dejé lo que era de niño"
(1 Corintios 13:11).*

Dios nos ha dado el privilegio de nacer a una nueva vida: la vida en el espíritu, donde empezamos a descubrir que aquellas cosas que antes no nos llamaban la atención, como orar, leer la Biblia, asistir frecuentemente a reuniones cristianas, etc., se han convertido en parte fundamental de nuestro existir. La vida se vuelve más interesante, pues hallamos un mundo listo para conquistar; nos damos cuenta que tiene sentido vivir y nos preguntamos cómo no lo habíamos entendido antes y por qué estábamos tan ciegos. Sentimos que recuperamos la confianza en Dios, en su Palabra, en los demás y en nosotros mismos. Pero todo lo bello requiere de ciertos cuidados.

Alimento espiritual equilibrado

Como un bebé recién nacido precisa de la leche que su madre le proporciona, el bebé espiritual necesita nutrirse de la Palabra de Dios, puesto que es lo único que le puede ayudar en su crecimiento. El apóstol Pedro escribió: "Desead como recién nacidos la leche pura espiritual de la palabra de Dios, para que por ella crezcáis para salvación" (1 Pedro 2:2).
Cuando comencé a dar mis primeros pasos en la vida cristiana, había un deseo dentro mío por conocer la Biblia, que me hacía

27

pasar no menos de dos horas diarias estudiándola. No la leía porque alguien me lo dijera, lo hacía porque pude entender que era alimento para mi espíritu y que debía proveerme de ella regularmente. El escritor a los Hebreos dijo: "Y todo aquel que participa de la leche es inexperto en la palabra de justicia, porque es niño" (Hebreos 5:13).

Teniendo contacto con las Escrituras

Debemos amar la Palabra y sus enseñanzas, obedeciendo sus indicaciones como lo hace el capitán de un barco con su brújula. La Biblia es el más grande de los tesoros, teniendo la respuesta a todas nuestras necesidades. Es la mayor obra literaria escrita, pues contiene la revelación de Dios para el hombre. En sus sesenta y seis libros, resume el trabajo de cuarenta escritores que vivieron en diferentes épocas, los cuales, por medio de la revelación divina, han hecho que su mensaje se mantenga vigente hasta nuestros días.

- *Contiene la voz de Dios y la revelación de Cristo (2 Corintios 5:20).*
- *Contiene las leyes divinas (Hebreos 1:2-3).*
- *La Biblia es la revelación de Dios al hombre (2 Pedro 1:19-20).*
- *Revela el plan de salvación para el hombre (1 Timoteo 3:16).*
- *Revela la verdad (Juan 8:32).*
- *Jesús es el personaje central (Lucas 24:27).*

Cómo acercarse a la Palabra:

1. *Oyendo atentamente la voz de Dios diariamente (Deuteronomio 28:1-2).*
2. *Guardando su Palabra (Leerla con la actitud correcta).*
3. *Meditando en ella, escudriñándola (Josué 1:8).*
4. *Poniendo por obra sus mandamientos (Salmos 119:105).*
5. *Comunicando su mensaje a otros, confesándola. (Romanos 10:10).*

Cómo estudiar la Palabra:

A. *Escoja el lugar apropiado.*
B. *Establezca un hábito de estudio.*
C. *Haga un cuaderno devocional (Preferiblemente inicie con el libro de Juan).*

Incluya:

- *El mensaje de Dios para mí hoy.*
- *La promesa para mi vida.*
- *El mandamiento a obedecer.*
- *La aplicación personal.*
- *El versículo a memorizar.*

Beneficios al acercarse a la Palabra:

- *Enseña (doctrina).*
- *Redarguye (reprende).*
- *Corrige (restaura a un estado correcto).*
- *Instruye (guía).*

Comunicación permanente con Dios por medio de la oración.

El proverbista dijo: "Mas la oración de los rectos es su gozo" (Proverbios 15:8 b). No importa que usted no tenga mucha elocuencia para dirigirse a Él, Dios mirará la actitud de su corazón, y se gozará con cada palabra que le exprese. El Señor estableció la oración como el único medio para comunicarnos con Él. Es tan importante la oración, que Jesús enseñó a sus discípulos a orar.

Cómo orar:

- *Busque un lugar donde tenga completa privacidad.*
- *Empiece con palabras de agradecimiento. Debemos dar gracias a Dios por todo, tanto por lo agradable que nos sucede como por las pruebas, que muchas veces son difíciles de afrontar.*

- A diario viva la revelación de la Cruz. Pablo dijo: "Yo a diario muero". Podemos llevar nuestra vida, nuestra familia y nuestras dificultades a la Cruz, visualizando la victoria.
- Relaciónese con Dios como un Padre amoroso, que desea lo mejor para sus hijos.
- Reclame las bendiciones de Dios para su vida y para su familia.
- Prométale al Señor llevar una vida de integridad y santidad.
- Dígale a Dios que Él puede contar con usted para el establecimiento de la visión.
- Haga el compromiso de obedecerle por encima de todo.
- Reclame las promesas de provisión financiera que hay en la Palabra.
- Renuncie a cualquier sentimiento de rencor que tenga por otros.
- Pida el revestimiento espiritual para poder soportar cualquier adversidad.
- Pídale a Dios que levante un cerco de protección alrededor de su vida y la de su familia.

Cómo compartir con otros lo que Cristo ha hecho en usted.

Jesús dijo: "A cualquiera pues, que me confiese delante de los hombres, yo también le confesaré delante de mi Padre que está en los cielos" (Mateo 10:32).

A una persona que no ha conocido el amor, le es muy difícil hablar acerca de él. Pero, cuando alguien se enamora, se opera un cambio en su vida. Continuamente está hablando a otros acerca de su nuevo amor. Cuando conocemos a Jesús, sucede algo similar: no podemos dejar de contar lo bueno que Él ha sido para con nosotros. No sentimos vergüenza de hablar de Él con otras personas porque es lo más importante en nuestra vida.

Para dar testimonio de su fe, usted no tiene que ser teólogo, basta con que haya experimentado un encuentro real con Jesús y que su vida haya sido cambiada.

Cuando usted comparte con otros, está poniendo en alto el nombre de Jesús. Pablo dijo: "Porque con el corazón se cree para justicia, pero con la boca se confiesa para salvación" (Romanos 10:10).

Sabemos que es muy agradable poder intercambiar opiniones con personas afines. Dios nos creó para que fuésemos seres sociables, para compartir con otros. Algo que usted percibirá siempre en nuestras reuniones es cómo se forjan verdaderos lazos de amistad. Además, en cada reunión que usted participe, notará que cada enseñanza lo llena y satisface espiritualmente; encuentra la respuesta a sus inquietudes y recibe la promesa de Dios que usted tanto anhelaba. Sentirá que aún hay gente con un corazón precioso que está dispuesta a apoyarlo en lo que esté a su alcance.
Una de las características de la iglesia primitiva era que: "Perseveraban en la comunión unos con otros, en el partimiento del pan y en las oraciones" (Hechos 2:42). Algo que es esencial: "No dejar de congregarnos, como algunos tienen por costumbre. Si así ocurriese, exhórtense, y más cuando veáis que aquel día se acerca" (Hebreos 10:24-25).

Cuidando nuestra juventud.

En la juventud está la fuerza de conquista, el ímpetu, el deseo de progreso. Y cuán importante es que cada joven aprenda a tomar la decisión correcta desde una temprana edad.
Aunque es importante estudiar, tener una profesión, producir para nuestros propios gastos, no obstante, hay algo que es mucho más significativo: asegurar nuestra vida espiritual.
Y la única manera de hacerlo es decidiéndonos por Jesús. El rey Salomón dijo: "Acuérdate de tu Creador en los días de tu juventud, antes que vengan los días malos y lleguen los años en los cuales digas: No tengo en ellos contentamiento" (Eclesiastés 12:1).

Qué importante es que desde la juventud se tome el camino de la justicia y de la rectitud. Todos aquellos siervos de Dios que se apoyaron completamente en Él, fueron guardados del desastre de una manera sobrenatural: El rey David, en el ocaso de su vida, dijo: "Joven fui y he envejecido, y no he visto justo desamparado, ni su descendencia que mendigue pan" (Salmo 37:25).

El profeta Daniel, quien llegó muy joven al palacio del rey Nabucodonosor, y a quien le fuera concedido el derecho de participar de la comida de su majestad, propuso en su corazón no contaminarse con ella, pues sabía que era ofrecida a ídolos, prefiriendo comer algo menos sabroso antes que ofender a Dios con aquella comida.

Además, desde su juventud, Daniel aprendió a seleccionar a sus amigos. Éstos eran básicamente hombres espirituales, prestos a ayudarle en cualquiera que fuese su necesidad. Y fue a ellos a quienes acudió en uno de los momentos más difíciles de su vida. Estos jóvenes decidieron apoyarle en oración, y al día siguiente, ya habían obtenido la respuesta de parte de Dios en su favor.

Aprendiendo a manejar los afanes de la vida.

En nuestros días, la pareja tiene que ser productiva. Por esta razón y por las muchas ocupaciones, las personas permiten que su parte espiritual -que es la más importante- quede relegada. Esto lo hacen con la idea de que cuando hayan superado las presiones financieras, tendrán más tiempo para dedicarlo a las cosas de Dios.

Algunos lo hicieron pensando que sería algo pasajero, que les tomaría unos pocos días o meses, pero cada vez se fueron enredando en más y más compromisos que los fueron distanciando completamente de Dios. El profeta Daniel era un hombre bastante productivo, y su relación con Dios le ayudó a cumplir fielmente con cada una de sus obligaciones en el palacio del rey. Esto despertó la envidia de sus compañeros de labores, quienes empezaron a buscar algún argumento contra él para acusarlo. Mas Daniel continuó siendo fiel en todo, y ningún vicio ni falta le fue hallado (Daniel 6:4).

Aunque las intrigas fueron aumentando contra Daniel, al punto de ser arrojado al foso de los leones, él siguió en comunión con su Dios, y éste lo recompensó cerrando la boca de los leones y librándolo sobrenaturalmente de ellos.

La obediencia renueva las fuerzas.

Dios llamó a Abraham a la edad de setenta y cinco años, diciéndole: "Vete de tu tierra y de tu parentela, y de la casa de tu padre, a la tierra que te mostraré. Y haré de ti una nación grande, y te bendeciré, y engrandeceré tu nombre, y serás bendición" (Génesis 12:1-2).

El apóstol Santiago escribió: "Abraham creyó a Dios, y le fue contado por justicia" (Santiago 2:23 a).

Abraham se convirtió en el padre de la fe porque creyó con esperanza contra esperanza. En todos sus actos, este patriarca demostró su inquebrantable fe en el Dios invisible. Se convirtió en padre de naciones porque tuvo el valor de dejar su patria. Fue padre de las familias de la tierra como recompensa por haber dejado su hogar paterno. Fue prosperado en todo como retribución por haber dejado sus posesiones. Su descendencia ganó autoridad sobre sus enemigos como una muestra de gratitud por parte de Dios, por haber tomado la decisión de ofrecerle a su único hijo, aunque Dios no se lo permitió.

REFLECCIÓN Y ACCIÓN

PRINCIPIOS CLAVES PARA RECORDAR

- *Disfrute de los beneficios que le ofrece el nuevo nacimiento. (1 Corintios 13:11).*
- *Su alimento espiritual debe ser equilibrado. (1 Pedro 2:2; Hebreos 5:13).*
- *Tenga contacto diariamente con las Escrituras. (2 Corintios 5:20; Hebreos 1:2-3; 2 Pedro 1:19-20; 1 Timoteo 3:16; Juan 8:32).*
- *Comparta lo que Cristo ha hecho en su vida. (Romanos 10:10; Hechos 2:42).*
- *Aprenda a manejar los afanes de la vida (Daniel 6:4).*

APLICANDO ESTOS PRINCIPIOS

A partir de hoy, determínese a :

- *Acercarse a la Palabra de Dios.*
- *Estudiarla diariamente.*
- *Comunicarse con Dios permanentemente a través de la oración.*
- *Obedecer, para que sean renovadas sus fuerzas.*

El nuevo nacimiento y la vida en el Espíritu

Al nacer humanamente, todo en nosotros está establecido: nuestro sexo, la pigmentación de la piel, la estatura y el peso, el temperamento, los hábitos y los deseos. Mas nacer de nuevo implica adquirir un cuerpo y una mente espiritual, que vendría a ser el cuerpo y la mente de Cristo.

Aunque se ha investigado mucho para definir la problemática del hombre, se le atribuyó todo a la crisis social, pero la raíz del asunto estriba en una lucha espiritual. Si se prioriza en darle solución a lo espiritual, el remedio se extenderá a los diferentes ámbitos de la sociedad. Es importante entender que el cambio debe ser interno, antes que externo.

"Os daré corazón nuevo, y pondré espíritu nuevo dentro de vosotros; y quitaré de vuestra carne el corazón de piedra, y os daré un corazón nuevo" (Ezequiel 36:26).

El nuevo nacimiento es un acto creativo, donde Dios toma la fe del creyente y la une al poder del Espíritu Santo. Esto produce el milagro de un corazón y un espíritu nuevo. "Lo que es nacido del Espíritu, espíritu es" (Juan 3:6b).

IMPLICACIONES DEL PLAN DE SALVACIÓN

El plan de salvación, diseñado por Dios, contempla los siguientes aspectos: justificación, regeneración, santificación y la redención.

Justificación

Justificación significa: «declarar justo». Es el acto mediante el cual Dios declara que el hombre pecador, que cree en Jesús y confiesa su fe aceptando su sacrificio por el pecado en la Cruz, pasa a ser justo y aceptable ante Él (Romanos 3:24).

Santificación

Ser santo significa ser apartado para Dios. Un hombre se santifica por medio de la gracia. La santificación equivale a consagrarse plenamente a Dios tanto a nivel moral como espiritual. La santidad es un rasgo de la esencia divina y se produce en el creyente por el obrar del Espíritu Santo. (1 Tesalonisences 5:23).

Regeneración

La regeneración es cambiar de pensamiento en relación con el pecado, propiciando que nuestra mente se abra a todo lo concerniente a Dios, especialmente a la encarnación de su Hijo y a su obra redentora. Es el Espíritu Santo el que permite esta regeneración en el interior del hombre, tanto en el área moral como espiritual (1 Corintios 2:14).

Redención

La salvación, como se ha planteado, está asociada directamente a la redención del hombre, y esta redención equivale a pagar un rescate por alguien que está esclavizado.
Al no encontrar en la tierra quien pagara con su vida el precio de rescatar (redimir) al hombre de sus pecados, Dios envía a su único Hijo para que lo haga, librando así a la humanidad de la condenación eterna (Gálatas 3:13).

DESCUBRIRÁ QUE ESTÁ RODEADO DE MUCHOS PRIVILEGIOS

Dios le dio el privilegio de ver

Solamente el hombre espiritual tiene la capacidad de ver el reino de Dios; sus ojos espirituales son abiertos y puede percibir todas las cosas que están ocultas para el hombre natural.

Pablo dijo: "Cosas que ojo no vio, ni oído oyó, ni han subido al corazón del hombre, son las que Dios ha preparado para los que le aman" (1 Corintios 2:9).

La vida espiritual es un mundo donde encontraremos toda clase de riquezas y favores disponibles, sólo para nosotros. No son visibles, pero existen. En otras palabras, no están expuestas a la vista humana, sino que sólo los podrán ver aquellos que han nacido de Dios y que tienen su vista espiritual desarrollada. A través de la fe, podemos materializar y disfrutar de las bendiciones de Dios.

Dios le dio el privilegio de creer

"La fe viene por el oír, y el oír por la palabra de Dios"
(Romanos 10:17).

Dios nos ha dado la capacidad de creer, para cambiar las circunstancias positivamente. Si eso deseamos, es indispensable oír lo que Dios dice al respecto, pues todo lo que nosotros queramos conquistar, tiene que estar avalado por su Palabra.

Dentro de ella se encuentra la semilla de vida, y cuando ésta cae en un corazón sano y lleno de fe, la semilla germina y da el fruto del milagro que se busca. Todo el poder de Dios está condensado en su Palabra, y sólo nuestra fe es la que lo activa, poniéndolo en acción.

Debemos entender que nuestros oídos tienen la capacidad de escuchar muchos sonidos a la vez, pero el éxito de oír la voz de Dios depende de nuestra atención, a fin de entender y cumplir con el propósito divino.

Debemos saturar nuestra mente de la Palabra de vida, de la Palabra que no cambia y que conserva el mismo poder a través de los siglos. Nosotros mismos nos sorprenderemos de todas las cosas que podremos hacer con sólo creer en las palabras de Dios.

Dios le dio el privilegio de dar
la palabra de autoridad.

El Señor dijo: "Volveos a mi reprensión; he aquí yo derramaré mi espíritu sobre vosotros, y os haré saber mis palabras" (Proverbios 1:23).
Sólo podemos entender la Palabra de Dios cuando el Espíritu Santo nos la revela. Por esta razón, ella debe ser leída en actitud de oración. David dijo: "No quites de mi boca en ningún tiempo la palabra de verdad, porque en tus juicios espero" (Salmos 119:43).

Debemos saturar nuestra mente de la Palabra de Dios. Ella ha conservado el mismo poder que siempre ha tenido, y así como fue poderosa en la boca de los profetas de la antigüedad, también lo será en nuestros labios en nuestros días.

Comprendamos que la Palabra de Dios no está sujeta a tiempo ni espacio; Dios no se rige por leyes humanas. El tiempo fue establecido por Dios, y Dios no está limitado por el tiempo; Él lo estableció para los seres humanos. La Palabra de Dios, al salir de nuestra boca, no regresará hasta haber cumplido el propósito para la que fue enviada.
Esto quiere decir que cada palabra que digamos se convertirá en un decreto en el mundo espiritual.
Cada palabra que pronuncien nuestros labios sólo regresará cuando haya cumplido todo aquello para lo que fue emitida.

REFLECCIÓN Y ACCIÓN

PRINCIPIOS CLAVES PARA RECORDAR

El plan de salvación contempla los siguientes aspectos:

- *Justificación, declarar justo (Romanos 3:24).*
- *Santificación, apartado para Dios (1 Tesalonicenses 5:23).*
- *Regeneración, cambiar el pensamiento respecto al pecado. (1 Corintios 2:14).*
- *Redención, pago por el rescate de alguien que está en esclavitud (Gálatas 3:13).*

APLICANDO ESTOS PRINCIPIOS

A partir de hoy determínese a:

- *Aceptar el privilegio de ver (1 Corintios 2:9).*
- *Aceptar el privilegio de creer (Romanos 10:17).*
- *Aceptar el privilegio de dar la palabra de autoridad. (Proverbios 1:23).*

Entendiendo contra quién es nuestra lucha

El Señor Jesús dijo: "...todo reino dividido contra sí mismo es asolado, toda ciudad o casa dividida contra sí misma, no permanecerá" (Mateo 12:25).

La mayor astucia del adversario es hacer que las personas perciban el pecado como algo leve, que no tiene nada de malo, y que lo vean como un juego. De este modo, trata de enredarlos en él hasta quedar atrapados y no poder salir. El enemigo sabe que si logra dividir una pareja, toda la familia quedará desprotegida.

El principio de Maquiavelo: "Divide y reinarás", es el principal deseo de Satanás: separar matrimonios y dividir hogares, para poder tener el control sobre ellos.

1. ¿Quién es nuestro enemigo?

Es un ser espiritual creado por Dios. Él era quien dirigía las alabanzas en el reino celestial; además de gozar de respeto por su autoridad y su vida de santidad. Fue el primer ser que dio lugar al orgullo en su corazón, y que, en su altivez, quiso derrocar a Dios para tener un control despiadado sobre todo. Su mayor frustración fue que no pudo hacerlo, perdiendo todos sus privilegios, siendo expulsado del reino de Dios, y convirtiéndose en un enemigo oculto de su obra.

Fue el primero en llegar al huerto del Edén, donde logró seducir a la mujer para que ésta desobedeciera el mandato divino.

Por esta causa, el Señor decretó guerra permanente entre Satanás y la mujer, advirtiéndole que ésta le aplastaría la cabeza, y él le magullaría el calcañar (Génesis 3:14-15).

Su propósito primordial es sacar a Dios del corazón del hombre y bloquear su mente, para que el mensaje de salvación no sea predicado ni aceptado en el mundo.

Pablo dijo: "Si nuestro evangelio está encubierto, entre los que se pierden está encubierto; esto es, entre los incrédulos, a quienes el dios de este mundo les cegó el entendimiento, para que no les resplandezca la luz del evangelio de la gloria de Cristo, el cual es la imagen de Dios (2 Corintios 4:3-4).

2. ¿Cómo actúa?

Logra imponer el imperio del terror, y cuenta con la organización de un estratega militar. Bajo su autoridad están: principados, potestades, gobernadores de las tinieblas y huestes de maldad en las regiones celestes (Efesios 6:12).

Se caracteriza por: ser astuto (Génesis 3:1), mentiroso (Génesis 3:1-3), vengativo (Salmos 8:2), destructor (Isaías 54:16), tentador (Mateo 4:7), acusador (Apocalipsis 12:10), príncipe de los demonios (Mateo 12:24), asesino (Juan 8:44), padre de mentira (Juan 8:44), príncipe de la potestad del aire (Efesios 2:2), el dragón (Apocalipsis 12:7-9), un león rugiente (1 Pedro 5:8), y por vestirse como ángel de luz (2 Corintios 4:4).

3. Su juicio.

Hay un velo que es corrido de la mente de los creyentes cuando comprenden la obra redentora de Jesús en la Cruz del Calvario. Nuestro Salvador dijo: "Para juicio he venido a este mundo".

La presencia de Jesús fue un tormento para los demonios cuando estuvo en la tierra. Un hombre endemoniado le gritaba: "¡Ah! ¿Qué tienes contra nosotros Jesús Nazareno? ¿Has venido para destruirnos? Sé quién eres, el Santo de Dios. Pero Jesús le reprendió, diciendo: ¡Cállate y sal de él!" (Marcos 1:24-25).

El Maestro declaró en, Mateo 12:28: "Pero si yo por el Espíritu de Dios echo fuera los demonios, ciertamente ha llegado a vosotros el reino de Dios". El reino de Dios no está dividido.

Para que el reino de Dios se establezca en cualquier ciudad o nación, es fundamental que la iglesia se levante en autoridad contra los demonios y los eche fuera.

Use su autoridad y ate al hombre fuerte.

La Palabra de Dios declara que nadie puede entrar en la casa de un hombre fuerte si primero no le ata. Al estudiar este pasaje, comprendí que Satanás era ese hombre fuerte que había atado las vidas de hombres, jóvenes, mujeres y niños, esclavizándolos al pecado. Al recibir esta revelación, comenzamos a atar las fuerzas del mal y a Satanás.

El Salmo 149:5 y 6 dice: "Regocíjense los santos por su gloria, y canten aún sobre sus camas. Exalten a Dios con sus gargantas y espada de dos filos en sus manos". La espada de dos filos es la Palabra, y se utiliza para ejecutar venganza entre las naciones y castigo entre los pueblos, para aprisionar a los reyes con grillos. Estos reyes son los principados demoníacos de maldad que operan en los aires.

Dios le dio a usted esa unción de atar reyes con grillos; créalo.

Vida de integridad.

El Señor dijo en San Mateo 12:33: "O haced el árbol bueno, y su fruto bueno, o haced el árbol malo, y su fruto malo; porque por el fruto se conoce el árbol". Este pasaje hace referencia a la vida como árboles. Cuando Satanás se aparta, la vida interna del mal que había dentro de la persona sale de ella. Y esto es un milagro, porque al salir el mal, Dios lo reemplaza por la vida del bien, y la vida del bien es Jesucristo. Si usted es un árbol de Cristo, que tiene Su vida, el fruto que usted dé debe ser fruto de integridad, justicia y verdad.

No puede existir tal cosa como: "Yo soy cristiano, pero fornico". Eres árbol de Cristo, ¿o no? Es por el fruto que se determina la clase de árbol que uno es. Algunos en este aspecto se confunden: Asisten a la iglesia, pero en realidad no son cristianos.

Ir a la iglesia no es garantía de salvación; asistimos a la iglesia porque somos frutos, porque somos árboles nuevos, personas diferentes, y allí expresamos nuestra adoración y gratitud a Dios. La vida del Padre se demuestra en usted a través del fruto que usted da.

Sus palabras determinan su fruto.

Jesús dijo: "De la abundancia del corazón habla la boca. El hombre bueno, del buen tesoro del corazón saca buenas cosas; y el hombre malo, del mal tesoro saca malas cosas"
(Mateo 12:34b-35).

Lo que hay en su corazón es expresado a través de sus palabras. Cuando una persona se queja, su fruto es malo; cuando una persona reniega, su fruto es malo; cuando maldice, su fruto es malo. Cuando habla negativamente, su fruto es malo; cuando todo lo duda y lo cuestiona, su fruto es malo; cuando una persona está llena de Dios, sus palabras siempre son de fe, llenas de esperanza, son palabras de optimismo, siempre llevan al éxito, dan ánimo a los que están caídos, no se dejan influenciar por las circunstancias, siempre hablan conforme a la Palabra de Dios.

Cancele hoy todo argumento que pueda haber en su contra en el mundo espiritual. No permita que el enemigo lo use para atacarle. Pida en una oración sincera: *"Señor, hazme libre de cualquier atadura demoníaca. Concédeme plena autoridad para reprender los demonios en el Nombre de Jesús".*
Usted debe cancelar todo argumento que haya en su contra. Tome la decisión de santificar su vida desde este mismo instante. Cuando Josué dijo: "Yo y mi casa serviremos al Señor", él tomó la decisión de que su hogar completo consagraría su vida al Señor. Pablo dijo: "Por lo tanto, tomad toda la armadura de Dios, para que podáis resistir en el día malo" (Efesios 6:13). ¿Cuál es el día malo? El día de la adversidad, de la prueba.

Preparación para la liberación.

    a. Tener un genuino deseo de vivir en libertad. Dios está dispuesto a darnos libertad, y por medio de Cristo nos dio los medios para obtenerla, pero en su libre albedrío el hombre debe desearlo de todo corazón (Mateo 11:28).
    b. Identificar las causas de las ataduras (Salmos 139:23-24).
    c. Arrepentirse y confesar los pecados cometidos. La liberación no reemplaza al arrepentimiento. Por el pecado, Satanás conquistó derechos legales sobre nuestra vida. Éstos, sólo serán cancelados mediante un genuino arrepentimiento y completa renuncia a tales pecados (Lucas 13:3).

d. Tener fe (Hebreos 11:6).

e. Apropiarse de la verdad (Juan 8:31-32, 36).

f. Orar y ayunar: "Pero esta clase de demonios no sale sino con ayuno y oración" (Mateo 17:21).

REFLEXIÓN Y ACCIÓN

PRINCIPIOS CLAVES PARA RECORDAR

- Debemos entender contra quién es nuestra lucha.
- El propósito primordial del enemigo es sacar a Dios del corazón del hombre, bloqueando su mente para que no reciba el mensaje de salvación.
- Su mayor astucia es hacer que las personas perciban el pecado como algo leve, que lo vean como un juego.

APLICANDO ESTOS PRINCIPIOS

Determínese que desde hoy:

- Usará su autoridad atando al hombre fuerte.
- Vivirá íntegramente.
- Cuidará sus palabras, pues el fruto es determinado por ellas.
- Cancelará todo argumento que pueda haber en su contra en el mundo espiritual.

Lo que usted debe saber
acerca de un Encuentro

La importancia de tener un Encuentro

El Encuentro es un retiro de tres días, durante los cuales, Dios estará impartiendo vida a cada uno de aquellos que participen en él. Recibirán dirección y comprenderán cuál es el verdadero propósito de Dios para ellos.

Cada uno de los participantes debe asistir con un corazón plenamente abierto, con la pureza y sencillez de un niño para poder recibir todo lo que Dios anhela ministrarle. Es fundamental que durante el tiempo del Encuentro se hagan a un lado toda clase de argumentos, conceptos erróneos acerca de Dios y prejuicios que les puedan impedir recibir todo lo que Dios les quiere brindar.

He visto vidas que han sido transformadas totalmente durante estos tres días. Son cambios tan radicales que, por lo general, no se ven en años enteros.

Dios le pidió al pueblo de Israel que fuera a un Encuentro

Usted recordará cuando el pueblo de Israel estaba oprimido en Egipto y Dios tuvo que levantar a un libertador. Ese libertador se llamó Moisés, y él debió enfrentarse ante el rey de Egipto. En nombre de Dios fue a hacerle una petición. "Y ellos dijeron:

El Dios de los hebreos nos ha encontrado; iremos, pues, ahora, camino de tres días por el desierto, y ofreceremos sacrificios a Jehová nuestro Dios, para que no venga sobre nosotros con peste o con espada" (Éxodo 5:3).

Como podemos ver, la petición de Moisés reflejaba el anhelo de Dios de reunirse con su pueblo durante tres días. Faraón no aceptó la propuesta. Por el contrario, endureció su corazón y los trató de ociosos, recargándolos aún de más trabajo para que, de este modo, no tuvieran tiempo para pensar en Dios. Pero Dios comenzó a afligir al pueblo de Egipto con diferentes plagas.

La astucia de Faraón.

> Faraón mandó llamar a Moisés y le dijo: "Yo os dejaré ir para que ofrezcáis sacrificios a Jehová vuestro Dios en el desierto, con tal que no vayáis más lejos; orad por mí" (Éxodo 8:28).
> Luego, Faraón les preguntó: ¿Quiénes son los que han de ir? Moisés respondió: Hemos de ir con nuestros niños y con nuestros viejos, con nuestros hijos y con nuestras hijas; con nuestras ovejas y con nuestras vacas hemos de ir; porque es nuestra fiesta solemne para Jehová" (Éxodo 10:8b-9). Pero la respuesta de Faraón fue contundente: "¡Así sea Jehová con vosotros! ¿Cómo os voy a dejar ir a vosotros y a vuestros niños? ¡Mirad cómo el mal está delante de vuestro rostro! No será así; id ahora vosotros los varones, y servid a Jehová, pues esto es lo que vosotros pedisteis. Y los echaron de la presencia de Faraón" (Éxodo 10:10-11).

Jesús dijo: "Destruid este templo, y en tres días lo levantaré" (Juan 2:19). El Encuentro debe tener una duración de tres días, lo cual le permite a Dios realizar una profunda obra de transformación en cada vida.
Allí se experimenta la muerte a la vieja naturaleza y la resurrección a la nueva vida en Cristo. Durante este momento, el deseo del Señor es que tomemos un tiempo de quietud, aislándonos por un corto tiempo de las actividades y evitando cualquier distracción para oír claramente la voz de Dios.
¿Por qué Dios pide tres días? Este es el tiempo necesario que le permite al Espíritu Santo poder llevar a cabo la obra de transformar corazones por completo.

El salmista dijo: "Encomienda a Jehová tu camino; y confía en él; y él hará" (Salmos 37:5). Poder encomendar, entregar, rendir la totalidad de nuestra vida a la dirección de Dios es algo que podremos lograr solamente en el Encuentro.

Pablo tuvo que ir a un Encuentro.

Uno de los más grandes hombres que ha tenido el cristianismo fue el apóstol Pablo, conocido como Saulo de Tarso. Antes de convertirse al Señor, era un acérrimo perseguidor de los cristianos, pero tuvo una experiencia que transformó completamente su vida, llevándolo a defender la doctrina que antes condenaba.

¿Qué lo hizo cambiar de parecer? La respuesta es muy sencilla: vivió la Revelación de la Cruz. A todo aquel que tenga un encuentro personal con Dios, la Cruz de Cristo le será revelada, y esto es lo único que podrá transformar verdaderamente los corazones. Él dijo: "Pero lejos esté de mí gloriarme, sino en la cruz de nuestro Señor Jesucristo, por quien el mundo me es crucificado a mí, y yo al mundo" (Gálatas 6:14). Muchos son los que hablan acerca de la Cruz, pero ésta aún no les ha sido revelada por el Espíritu Santo.

Pablo también dijo: "A fin de conocerle, y el poder de su resurrección, y la participación de sus padecimientos, llegando a ser semejante a él en su muerte" (Filipenses 3:10).

El anhelo de Pablo era llegar a sentir lo mismo que sintió Jesús mientras estaba colgado en el madero. Él quería ser partícipe de ese mismo sufrimiento y agonía que padeció Jesús todo el tiempo de su crucifixión.

Comprendió que si tenía esta experiencia, podría conquistar también el poder de resurrección. Dios respondió al deseo del corazón del apóstol y le permitió vivir la Revelación de la Cruz.

Esto lo llevo a decir: "Con Cristo estoy juntamente crucificado, y ya no vivo yo, mas vive Cristo en mí; y lo que ahora vivo en la carne, lo vivo en la fe del Hijo de Dios, el cual me amó y se entregó a sí mismo por mí" (Gálatas 2:20).

Verdades que experimentará en un Encuentro

Pablo, en su defensa ante el rey Agripa, dijo: "Cuando a mediodía, oh rey, yendo por el camino, vi una luz del cielo que sobrepasaba el resplandor del sol, la cual me rodeó a mí y a los que iban conmigo. Y habiendo caído todos nosotros en tierra, oí una voz que me hablaba, y decía en lengua hebrea: Saulo, Saulo, ¿por qué me persigues? Dura cosa te es dar coses contra el aguijón. Yo entonces dije: ¿Quién eres, Señor? Y el Señor dijo: Yo soy Jesús, a quien tú persigues. Pero levántate, y ponte sobre tus pies; porque para esto he aparecido a ti, para ponerte por ministro y testigo de las cosas que has visto, y de aquellas en que me apareceré a ti, librándote de tu pueblo, y de los gentiles, a quienes ahora te envío, para que abras sus ojos, para que se conviertan de las tinieblas a la luz, y de la potestad de Satanás a Dios; para que reciban, por la fe que es en mí, perdón de pecados y herencia entre los santificados". (Hechos 26:13-18.)

Pablo vio la luz; ésta era la manifestación de la gloria del Señor. Al tener un encuentro personal con Dios le hizo ver que toda la agresión que tenía hacia el cristianismo, en realidad, era un maltrato a sí mismo.
Ese mismo día, Dios lo llamó a servirle, dándole las instrucciones de cómo debía desarrollar su ministerio.

Al asistir al Encuentro, usted:

1. Recibirá visión. "...para que abras sus ojos...". Sabemos que sin visión el pueblo perece. Lo primero que las personas deben recibir al convertirse es la visión del Cristo crucificado. Quien pueda ver la Cruz en su genuina revelación, podrá entender el sentido de su llamado.

2. *Experimentará una genuina conversión.* "...para que se conviertan de las tinieblas a la luz...". La conversión debe ser plena y total. Dios desechó al pueblo de Israel pues su conversión fue de labios y no de corazón. Juan el Bautista le dijo a aquellos que acudían a ser bautizados: "Haced frutos dignos de arrepentimiento". La conversión está muy ligada al cambio de estilo de vida. El creyente debe esforzarse por hacer aquellas cosas que agradan a Dios.

3. Entenderá que pasó del dominio de Satanás, al Señorío de Jesús. *"...y de la potestad de Satanás a Dios..."*. En el pasado, aprovechó la debilidad humana para esclavizar al hombre, pero por medio de Jesús, cada creyente fue rescatado del control que el adversario ejercía sobre su vida. El verdadero éxito de la vida cristiana victoriosa, depende de nuestra relación personal con Cristo. Convertirse a Jesús es vivir completamente enamorados de Él.

4. *Entenderá que a través de la fe en Jesús, recibirá perdón de pecados. "...para que reciban,* por la fe que es en mí, perdón de pecados...". Una de las estrategias del adversario ha sido esclavizar a las personas por medio de la culpabilidad, haciéndolos sentir que sus pecados no han sido perdonados, ejerciendo de esta manera un control sobre sus vidas. Los pecados que hemos cometido merecían castigo, pero Jesús en su cuerpo cargó con todos ellos, recibiendo el castigo que nosotros merecíamos.

5. *Comprenderá su privilegio en Dios. "...herencia entre los santificados..."*. Pablo dijo: "El que no escatimó ni a su propio Hijo, sino que lo entregó por todos nosotros, ¿cómo no nos dará también con él todas las cosas?" (Romanos 8:32). Si Dios entregó lo que más amaba, su propio Hijo, para que nosotros fuésemos salvos por el simple hecho de creer en Él, ¿no nos proveerá todo lo que necesitamos? Puedo decir que Dios tiene mucho más para darnos de lo que nosotros tenemos para pedirle. Podemos disfrutar de su herencia en este mundo, y en el venidero: la vida eterna.

REFLEXIÓN Y ACCIÓN

PRINCIPIOS CLAVES PARA RECORDAR

- *Dios le pidió a su pueblo que fuera a un Encuentro. (Éxodo 5:3).*
- *Descubra la astucia de Faraón. (Éxodo 8:28; 10:8b-9; 10:11-12).*
- *Pablo fue a un Encuentro (Gálatas 6:14; Filipenses 3:10).*
- *En el Encuentro Dios transforma completamente nuestra vida.*

APLICANDO ESTOS PRINCIPIOS

Si usted se determina a experimentar el gozo y la bendición de asistir a un Encuentro, podrá vivir las siguientes verdades:

- *Recibirá visión.*
- *Experimentará una genuina conversión.*
- *Pasará del dominio de Satanás al señorío de Jesús.*
- *Recibirá perdón de pecados.*
- *Comprenderá los privilegios de su herencia.*